DNA

DNA

Gwenallt Llwyd Ifan

Cyhoeddiadau
barddas

Diolchiadau

Diolch i'm rhieni, Dai Lloyd Evans a Margaret Evans, am fagwraeth a ysgogodd ddiddordeb mewn barddoniaeth, ac i'r diweddar Glyn Ifans, Prifathro Ysgol Uwchradd Tregaron, am feithrin y diddordeb hwnnw.

Mae fy nyled pennaf i'r diweddar John Glyn Jones, fy athro barddol.

Diolch i dîm Talwrn Tal-y-bont a thîm ymryson Ceredigion am eu cystadlu brwd a'u cyfeillgarwch.

Diolch i'r canlynol am eu gofal a'u cyngor wrth baratoi'r gyfrol hon i'r wasg: Alaw Mai Edwards, Huw Meirion Edwards, Alaw Griffiths, Anwen Pierce a Rebecca Ingleby Davies.

Diolch i Delyth, Elis ac Esther am fy ysbrydoli.

Yn bennaf oll, carwn ddiolch i Delyth, 'merch y môr', am ei chariad a'i chefnogaeth.

Argraffiad cyntaf: 2021

ISBN: 978-1-911584-38-4

Cyhoeddwyd gan Gyhoeddiadau Barddas.

Cyhoeddwyd gyda chymorth ariannol Cyngor Llyfrau Cymru.

Darlun clawr gan Luned Aaron.

Dyluniwyd gan Rebecca Ingleby Davies.

Argraffwyd gan Y Lolfa, Tal-y-bont.

I Delyth, Elis ac Esther

Cynnwys

Pontydd

Ryw eiliad cyn i'r heulwen
glwydo heno'n wylan wen,
o'r dref oer fe grwydraf fi
ymylon afon Teifi.
Ac o'r bont lle llusga'r byd
daw'r haf gyda'r dŵr hefyd.
Mehefin o siwin sydd
yn llenwi'r pyllau llonydd.
Islaw rhwng llus o liwiau
i bwll hir yn ymbellhau
yn y gwyll, pluen o gwch
yn hwylio ar dawelwch.
A gerllaw mae gŵr a llanc
yn eu hafon yn ifanc
yn dala dwy wialen
a blaen hir y bluen wen,
gan enweirio'r gân araf
yn yr hwyr dan awyr haf.

Dwy wialen yn pendilio'n araf
dros y dŵr digyffro.
Diferion mân sy'n glanio'n
ddafnau cwyr ym mhyllau'r co'.

Tad a mab, hawdd adnabod – o wyneb,
ôl y genyn hynod.
A natur yn annatod
yw llinyn bywyn eu bod.

Eu llinach ydyw'r llinyn; – hen edau
cyndeidiau yn estyn
o enynnau y ddau ddyn,
edau eiddil rhwng deuddyn.

Eto, wrth nesáu atynt,
dau lais sydd mor dawel ŷnt;
dau yn swil gyda'i gilydd
a dau ŷnt fel nos a dydd,
ar ddwy geulan wahanol
a dŵr ddoe yn hollti'r ddôl.

A heno, dan Bont Einion – y dŵr llyfn
y daw'r llif atgofion,
yn y gwyll fel brithyll bron
yn nofio yn yr afon.

* * *

Gwelaf grwt trowsus cwta'n
awr y gwlith ar fore glân,
yn nrws ei dŷ'n aros Dad,
yn wylo ei ymbiliad.

'Dad, Dad, ga'i ddod ma's o'r tŷ?
... wedyn, ga'i ddod i'r bwydy?

    ... yn y ddôl awn i ddala
    heidiau ŵyn a chowntio da.

... Ga'i fastwn, Dad, ga'i fustach?
... a gaf fi y Fergie fach?
A 'da'r ast ga'i fynd i'r rhos?
... a hi'n hwyr, Dad, ga'i aros?'

A cham wrth gam gydag e
ar ei ôl âi i rywle.
Dilyn, dilyn ar dalar
dan onglau ei sgwyddau sgwâr.
Wrth ei lin yn ddiflino
dan y lloer i dynnu llo;
ac i'r waun wrth gwt ei grys
yn broblem o barablus.

Yno roedd pompren a rhyd,
arafwch drwy'r dŵr hefyd.
Pompren wen y bachgen bach
a'i lais dros ddolydd glasach,
yn rhoi llaw yn nŵr y llif;
yfai, anadlai'r ffrydlif
a thwyllai y brithyllod;
arian byw yn dirwyn bod
yn y ddwylaw a ddaliodd
rith o fyd oedd wrth ei fodd.

Olion yr haf ar geulannau'r afon
yw'r caeau hynny a'u cerrig gwynion;
a physgod o'r gwaelodion – mewn cawell,
yn ôl ymhell ynghanol y meillion.

* * *

Encil braf oedd yr afon
iddo ef, ar ddolydd hon
am oriau rhwng mieri'n
ffurfio'i wâl o'i phorfa hi.
Ond fel mwyar ola'r haf
hen lus ydyw'r melysaf.
Fel haint yn y borfa las
eithinen eu perthynas
fu'n amgáu erwau'n araf,
a'r afon hon derfyn haf.

Geiriau fel pigiadau'n gwaedu – y llaw'n
y llwyn sy'n eu celu,
llaw â staen y llysiau du
yn yr eithin sy'n brathu.

Yn nŵr yr afon yr oedd hydrefu,
yn llwyni'r haf roedd pyllau'n arafu
dan flinder eu dyfnder du; – daeth wedyn
yn y rhedyn fel haearn yn rhydu.

Hydref ei ddiniweidrwydd – ydoedd hwn,
dyddiau oer ansicrwydd.
Bore oes a'i lwybrau rhwydd
yn lifrai'r danadl afrwydd.

A cherrig rhwystredigaeth – yn y rhyd
dan draed ei fabolaeth,
yn y ddôl rhyw sŵn a ddaeth
yn gerrynt trwy fagwraeth.

Rhyw sŵn a hawlia'r synnwyr,
sŵn gwag rhwng gwaliau magwyr
a sŵn torri llechi'n llwyr.

Gwynt chwil trwy fagiau silwair,
a sŵn cas fel sŵn cesair
o doeau sinc y das wair.

A rhywfodd trwy'r mêr hefyd
y sŵn mawr sy'n ymyrryd
â dy gorff a'r gwaed i gyd.

Canwyd am 'dalent plentyn',
ond tynged y llanc wedyn
ydyw gweld mewn du a gwyn.

Ac i rai y gwir erioed
yw mai atgas oedd glasoed,
math o gell oedd pymtheg oed.

* * *

A niwlen fel crys tenau – hyd y waun,
hwn a'i dad a'r byrnau
yn cywain llwythi'r caeau
o wyll llwyd, a nhw'n pellhau.

Un hydref, a'r da godro – yn eu côr
dyma'r cwm yn ffrwydro.
Ar y ffald roedd dail ar ffo,
roedd hin cynddaredd yno.

Hon oedd y noson fu'r storm yn cronni,
i fôn y coed roedd afon yn codi.
Dŵr ar rudd lifodd drwyddi – dan yr allt,
ar y waun hallt roedd y prennau'n hollti.

Malwyd y bompren wen honno'n y llif
gan y llaid fu'n rhuthro
trwy y waun a'r pyllau tro
yn y dŵr fu'n pladuro.

Ynyswyd hwy un noson – yn y dŵr,
        ac o dan yr afon
  yn y ddôl, gwaddolodd hon
  ei hydref o ddail budron.

* * *

Yntau wanwynau'n henach
âi at y bwrdd a'r te bach,
at ddresel yn dychwelyd,
a'i fam yn garlam i gyd
yn dod â'i hafon o de,
yn hwtran y jam ca'tre.
        'Cagen fach? ... cymer 'achan,
        der' â'r te, der' at y tân ...',
yn estyn y ddysgl wastad
i'w ofod oer ef a'i dad.
Ond oeraidd a dieiriau
yw y ddôl sydd rhwng y ddau.
Dau'n rhy swil gyda'i gilydd,
a dau ŷnt fel nos a dydd.
Te oer yw'r tebot arian,
lliain ford fel Llyn y Fan.

* * *

Ond o'u distawrwydd hunandosturiol
yn haul weithiau daw'r hafau tylwythol
hyd yr eithin yn felyn lledrithiol,
ac allan i'r gwres daw'r ddau'n fynwesol.
Mae y rhain mor wahanol – ac eto,
yno'n eu huno mae'r bont enynnol.

O oes i oes mae'r genyn yn croesi
dros byllau duon yn afon Teifi.
A dwylo'r ddeuddyn yn estyn drosti
y deil o'u hanadl o hyd aileni:
lle bu dicter yn berwi – yn y rhyd,
yn y cwm o hyd y mae cymodi.

Yn fy haf unig mi welaf heno
olau hwyrol ar ddau yn disgleirio;
y mae 'na un sy'n mynnu eu huno
â llaw i afael dros ddŵr sy'n llifo.
A hwn a welaf yno'n – dafluniad,
yr ŵyr a'i hendad yn dala dwylo.

Gyda'i gamau bach gwelaf y bachgen
yn araf ei haf dan y ffurfafen,
ar ei wyliau yn torri'r wialen
â min y gyllell ym môn y gollen.
A'r ddau ŵr rydd iddo wên – am eu bod
yn ei adnabod o'i wallt anniben.

* * *

Ond yn awr fe gwyd y nos
yn oer, a minnau'n aros
ger y bont lle llusga'r byd
i'w wâl trwy'r darthen fawlyd.
Lliw y dŵr sy'n byllau du,
a'r afon yn arafu.
Yno dau fel nos a dydd
yw'r llun ar y dŵr llonydd;
dan y sêr mae'r dyfnder du
yn llenwi'r pyllau hynny.
Eneidiau'r afon ydynt,
dwy floedd gaeth daflodd y gwynt,
ac mae'r afon hon o hyd
yn afon rhwng eu deufyd.

A'r bluen chwim yn sgimio – dros y dŵr
    erys dau i gastio,
  a daliant i bendilio'r
  oriau cudd ym mhyllau'r co'.

Coed

(ar draeth Ynys Las mae olion coedwig hynafol)

Yn hwyr, mae tonnau eirias
a nos o liw'n Ynys Las.
A dŵr y llais dieiriau
i wyll haf yn ymbellhau,
mae coelcerth a sŵn chwerthin
rhwng caniau a gwydrau gwin,
yn cynnau hen acenion
o'r coed sydd ar gerrig hon.
Enwau hŷn na'i thywyn hi
ar dafod daear Dyfi.
Mae dyn â'i dir amdano
yn cynnau coed er cyn co'.

Merch y môr

Ar lether dros Bwll Deri
daeth trysor y môr i mi,
â'i chorff o flodau porffor;
ar ei min cusanau'r môr.

Cerddodd uwchben y corddi
a'i llais dawelodd y lli,
rhoes ei lliw ym mriw fy mron
yn eli o'i hawelon.

Hi yw'r grug, a hi'r gragen,
hi'r alaw, a llaw fy llên.
Hi yw fy serch, merch y môr,
fy angel a fy angor.

Dunblane

Mae'r mis oer 'leni'n oerach,
aeth y bedd â phethau bach;
a rhynnu mae rhieni
hyd oriau hir naw tan dri.

Hwythau'n dal eu bagiau bach
i gesail yn agosach,
am law Tada'n dala'n dynn
â gaeaf ymhob gewyn.

Cotiau'n dynn, dynn amdanynt
yn y gwyll rhag min y gwynt.
Efo nhw mae'r un fu'n hau
ei fwledi fel hadau.

Chwithdod

Ddoe yn awr a ddaw yn ôl,
oriau dysg ar iard ysgol;
dal sigarét yn lletwith,
dal ei chôt â dwy law chwith.
Dyddiau diniwed oeddynt,
un eiliad o gariad gynt.

A heno mewn aduniad,
awr o win a geiriau rhad;
dal sigarét yn lletwith –
perlau'n chwarae'n ei llaw chwith.
Safwn yn nerfus hefyd
ym maglau'r geiriau i gyd.

Aberth

Y fro hon am y Frenni
yw'r dref wen a grwydraf fi.
Un darn o dir hynod yw
ac Eden greigiog ydyw.
Lle bu clec bwyell Beca
ar iet hir yn hollti'r ha',
a phorfa las yn grasach
yn llenwi'r hen berci bach.

Ond mae'r Feidir Hir ar werth
a neb yn cofio'r aberth.
Fesul llathen â'r Frenni
fel ein hiaith o'n gafael ni.

Llynnoedd Teifi

Fy arian oll fe'i rhown i'n
ufudd am lynnoedd Teifi.
Am eiliad dwym o heulwen
a lein hir a phluen wen,
a chysgod o bysgodyn
o dan rudd llonydd y llyn.

Ond i'r dŵr a'r dyfnder du
fy hiraeth sy'n diferu.
O dir mawn fel dŵr mynydd;
diferion surion o sudd.
A lle roedd llynnoedd mae llid
o gleisiau y glaw asid.

Archfarchnad y Nadolig

Yn drist mae ysbryd yr Ŵyl
wedi'i wasgu i'r disgwyl.
Yn y drol mae'r nwyddau'n drwm,
fe lanwyd dau fileniwm.
Awn, talwn nawdd til y nos,
mae Herod yn ymaros;
rhannwn wyrth ei seren O
a herciwn drwy'r maes parcio.
Awr o wawrio, a hwyrach,
rhown y byd 'nôl i'r un bach.

Dolur

Y weiren hon yw'r un iaith
a rannwn, a'n gwir heniaith
am oriau fu'n ymaros
yn niwl holl aeafau'r nos;
a gwenodd pan ddaeth gwanwyn
heibio'r wawr a'r dolydd brwyn.
Yn wennol o lawenydd,
yn olau ar doeau'r dydd,
yn ddagrau mewn gwydrau gwin;
yn wyrdd ar sgwâr Caerfyrddin.
A hon yw'r dolur heno'n
dwyn elor Gwynfor i go'.

Machlud

Galw heno mae'r glannau
dan barasól o olau
a rydd haul ar fwrdd i ddau.

Yn y dŵr mae sŵn y don
ddaw o ferddwr harbwr hon
yn barêd o sibrydion.

Eneidiau uwch diodydd
yno'n dal diferion dydd
o hen lanw aflonydd.

Ac Iwerydd y gorwel
yn dwyn alaw yn dawel
a blys mawr fel blasu mêl.

A rhed prom y bordiau pren
ar ôl pelydrau'r heulwen
ar lôn hir yr wylan wen.

A nos eu serch yn nesáu
y mae mwy na modrwyau
yn cadwyno dwylo dau.

Gwahoddiad

Ar y lôn union honno
am yr haul dewch draw i 'mro.
Dewch dros y ffin o'r ddinas,
o'r wal lwyd i'r awyr las,
am yr hwyl ym merw'r ha'
anelwch oll am Walia.

Os aros yw eich bwriad
fe gewch dŷ i'w rentu'n rhad,
mae bythynnod hynod hon
yn galw am drigolion.
O dewch wir, O dewch da chi,
yn uniaith, yn ddwsenni.

Y wawr yn Aberystwyth

Fel ffenestri'n agor ar gerddoriaeth,
daw'r llanw'n dwrw o ddealltwriaeth.
A'r twrw hwn ar y traeth – yw'r oriau'n
llenwi'n diwrnodau yn llawn dirnadaeth.

Mynnwn lenwi pob munud – i'r eithaf
    ar draethau ein gwynfyd.
  Hel y cregyn gwyn i gyd,
  mynnu byw mwy na bywyd.

Cyn daw llanw'r marw maith – cawn oriau
    cyn hired â gobaith.
  Yna down i ben y daith
  wedi rhwyfo drwy afiaith.

Ym mangre y bore bach,
hyn yn wir yw tynerwch;
a geni gwawr amgenach
wna'r gorwel o dawelwch.

A'n braint yw wynebu'r wawr
yn farus, nwyfus ofer.
Y wawr i'r rhai a'i carodd
â serch mor eirias â'r sêr.

Afon Leri

(i Falyri Jenkins)

Yn yr hengoed yn gringoch,
nant o gân ddaw o Bont-goch,
Leri lon yn haelioni,
a'i llif yn llawn o'i lliw hi.
O'r bryniau gorlawn llawn llus
y ddraenen wen, i'r Ynys
Las lle mae'r twyni'n crasu,
rhed ei dŵr i'r aber du.
A daear Sul o dawel
maes y byd oeda am sbel,
rhwng porfa las a masarn,
hen goed hir a giatiau harn.
Lle roedd cae melinau gwlân,
hen dai cul yn Stryd Ceulan
a simneau toeau tal,
sŵn canu sy'n ein cynnal.
A chân hon sy'n ein llonni
dan y wawr, a'n dyled ni
a lenwa ein calonnau
am roi oes, down a'i mawrhau.
A'i dail ar wyneb y dŵr
yn hardd fel aur ar ferddwr.

Oes o wên, ei gwasanaeth,
a'i nawdd hael; blynyddoedd aeth
heibio. Heno derfyn haf
ac awel â naws gaeaf,
hydref nid yw yn llefain;
y dŵr hardd ni wêl y drain.
Yn y rhyd yn garedig
oeda hon heb wae na dig.
A thyner ei doethineb
na ŵyr nos na sen ar neb.
Tynerwch twyn o eiriau
yw'r ddôl lle mae hi'n rhyddhau
ei hynni ar lan ynys,
yn donnau llawn lliwiau llus.

Gwreiddiau

Ynof mae cof am 'nhad-cu,
hen olion poen ei waelu.
Cofiaf onglau'r sgwyddau sgwâr
yn geinciau trwm o gancar,
a rhoi i bridd gyhyr brau
i orwedd yn ei erwau.
Yno'r byw'n cysuro'r bedd,
yn wylo eu hymgeledd;
ninnau'n dau, gwyliem dywarch
o wraidd yn anwesu'r arch.
Llinyn oesoedd pell heniaith
o bridd du yn mynnu maeth,
gwreiddyn fel genyn yn gwau
y nabod i wynebau.

Ond golau ydyw galar,
Yn ein co' mae ffrwyth ein câr.
Ar y sgrin llun egino'n
llenwi'r cur â lluniau'r co'.
O gariad, dyhead dau'n
gannwyll i'w thyner gynnau;
o'i dynhau mae'r DNA
yn rhuddin drwy ein gwreiddie.

Ynof mae cof am 'nhad-cu,
hen olion hil yn celu.
Ei dir yw cynefin dyn,
mae'n holl linach mewn llinyn.
Yn y byw mae gobaith byd,
a'n hafiaith yno hefyd.

Y môr

(aeth fy chwaer i fyw i Seland Newydd)

Ar ôl i donnau'r heli
lifo heno drwof fi,
bydd ym mhen draw'r môr tawel
erwau maith yn hir ymhél,
y don o hyd sy'n dod 'nôl
ar draeth o hiraeth hwyrol.
A rhywfodd o'r dŵr hefyd
daw i'r bae o ben draw'r byd
ryw ddrudwen o lawenydd
ynof fi, a'r gobaith fydd
fy chwaer fechan, fy Mranwen,
yn dod 'nôl ar adain wen.

Esther

Naw oed yn llawn o nodau
ydyw hi, a ni ein dau
yn ei heilunaddoli,
yn gnawd o degan i ni.
Hithau am yr oriau rhydd
ar dannau rhyw adenydd.
A chawn ni wrth edrych 'nôl
gadw ei gwên ddigidol
yn ein llaw; ond ni all llun
ei dal yn ffrâm y delyn.

Beth

(er cof am Beth Iorwerth, fy chwaer yng nghyfraith)

Nos da i Ynys Dewi
a chefnen wen ein dydd ni.
Mae'r tonnau fel gleiniau glas
yn dyner am Ben Dinas.
A bythynnod Beth annwyl
yn y gwyll yn cadw gŵyl.

A'r gwylanod yn codi
yn eu haid i'w henw hi,
'nos da i Ynys Dewi'.

Ac o'r ŷd yn garedig
yn fôr o haul mae ar frig
Carn Ingli gerrig yn gur
a hiraeth ar Foel Eryr.
A hwyliau tonnau'r eiliad
yn y glain fel geiriau'i gwlad.

Sibrwd haul gwna'i hysbryd hi
A th'wynnu dros draeth inni,
'nos da i Ynys Dewi'.

Mae'i henw ymhob munud,
y glennydd a'r mynydd mud.
Os rhy hir yw ein hiraeth
yn y trai ar ymyl traeth,
gwn yn iawn y gwelwn hi
yn nos da Ynys Dewi.

Galarnad

(ar ôl darllen 'Lament' gan Dylan Thomas)

Pan oeddwn yn grwt a hanner yn y berllan ddiniwed,
a'r caeau pell fel ynysoedd glas,
afalau gwyrddion oedd fy nyddiau,
a heliais y cloddiau â ffuredau gwynion
am gwningod coch yn y rhedyn gwyllt.
O'm hôl, nadreddai pridd y llwybrau defaid,
gan wthio'r gwaed trwy wythiennau newydd,
cyn i fellten milgi'r Sadyrnau chwim
bletio sgwarnog fy nyddiau tes.
Drannoeth, cableddais esgidiau â pholish y Sul
a llusgo 'nhraed undonog i fwmian canu
o lyfrau sychion yr emynau du.
A'r merched fel blodau yn eu ffrogiau bronnog
yn sibrwd cip dros ysgwydd i'w dwylo tew.

Yn ddyn a hanner a meddw fel ebol,
yfais gyda'r morwyr dan drawstiau gwymon y bar
a chodais wydrau i freuddwydio am drysor.
A'r lleuad yn edrych yn gam arnaf drwy goed
y llwybr igam-ogam am adref,
heriais y llwyni dyrnog i ymladd.
Crynai'r dref i sŵn stamp fy nhroed,
a swatiai corynnod yr eglwys
rhwng cloriau pren y seddau duon.

Tra twt-twtiai'r strydoedd culion
i lawr gelltydd eu trwynau,
roedd cyhyrau cobyn fy mreichiau
am wastiau'r merched celyd â minlliw.
A rhwng cerrig yr harbwr llwyd
torrai tonnau fel peisiau gwynion
ar draethau bach y cychod coch.

Pan ddes i yn ddyn gwerth ei alw'n ddyn
yn huodledd fy mlynyddoedd chwim,
a'r gwydr brandi yn esmwyth yn y gadair ledr,
roedd amser yn dagell ddigonol
wrth glywed galwad y clychau o'r tŵr.
Digon o amser i'm henaid mewn parddu a chols
a'r tân cyfarwydd yn llawn arogl coed
i lusgo fy nhraed drwy'r strydoedd culion
at y drysau derw i dalu penyd.
Nid rhedeg fel stalwyn mwyach
a wnawn drwy ffair y dref gyhyrog
a'r cesyg yn crensian y graean gwyn;
ond gorwedd fel tarw hamddenol yn y borfa aeddfed
a'r caeau trymion yn llydan o feillion.

Pan oeddwn yn hanner yr hyn a fûm,
heb fod yn ebol na stalwyn llygadrwth,
na tharw â thagell ar ddôl;
roedd fy nghymalau cnotiog yn gwywo fel derwen
a rhegais y blynyddoedd yn goch.

Gyrrais ar ffo y colomennod gwynion
a fu yn fy llofft yn cŵan tosturi.
Roedd cysgod croes yn ffrâm y ffenest
a heulwen yn pylu ar wal stafell fy ngwely dwfn.
Rhy ddwfn i ddringo o'i afael ac estyn am gannwyll.
A'r garthen yn tynhau amdanaf fel pridd,
ceryddais fy enaid mewn fflamau
a chodais fy nwrn ar y nos.

Nawr rwyf yn ddim mewn melltith o flodau,
yn stafell olaf fy anadl ddu.
Angylion ac ellyllon o'm cwmpas
yn cynnig gwin i'm sobrwydd
a gweddi i'm diweirdeb.
Daliant gannwyll fy nuwioldeb
a rhoddant gaead yr arch ar fy mhen.

I Richard Llwyd

(athro, cricedwr, bardd a phregethwr – a mêts bach i'w ffrindiau)

Bethel mor dawel â'r dydd
a dail dros borfa'r dolydd;
Eryri dan gochni gwawr
yn llydan drwy niwl llwydwawr.
A'r adar sydd ar oedi'n
dal naws ei choedlannau hi.

Yntau dan olau'r niwlen
ar y llwybr drwy lwydni'r llen.
Y ffordd gul, y ffordd galed
yn y graig dros gribau'i gred.
A'i gerdded gydag urddas
i gael awr ar gopa glas.

Y gŵr sy'n llawn teyrngarwch
a'i sodlau'n y llethrau llwch,
a llechi muriau'r llechwedd
yn ei waed, cadarn ei wedd.
Yntau yw'r seiliau solet
a hwn i mi yw'r un mêt.

John Glyn Jones

(bardd, Cyfarwyddwr Tai Clwyd a Thrysorydd Barddas. Tra oedden ni'n byw yn Ninbych daeth John Glyn a'i deulu yn ffrindiau da i ni ac ef oedd fy athro barddol.)

Nid yw dweud yng ngenau dyn,
yn ei wendid mae'n gyndyn
i ymledu'i deimladau;
dweud ei ddweud mewn gair neu ddau.
A rhyw awen wrywaidd
yw byw ar iaith gwta braidd.

Ni chredais sgrech y radio
na'r gwyll oer o'i golli o.
I donfeddi'r gwir mor gaeth
yw dyn, a'r anghrediniaeth
a ddeil o sylweddoli
ennyd yn ôl, rhannwyd ni.
A rhy hwyr rhoi ar eiriau
un dim fu rhyngom ein dau.

Ar aelwyd wâr y Railway,
â gwŷr llawn o gwrw'r lle'n
newyddian gynganeddwr,
rhoddais i gerddi i'r gŵr
i ofalus dafoli'r
pethau hyn, campweithiau hir!

Yn ddi-fai, oedai wedyn,
a mwy, a chwilio am un
rhinwedd yno i'w rhannu;
unrhyw ddawn yn fy ngherdd ddu.
Ac yna dysgu'n gynnil
ddawn i weld hengerdd ein hil,
gan garedig gynnig gwall
neu arwydd o air arall.
Yn y fan y cyw o fardd
a brifiodd gyda'i brifardd.
Magu mab i'r canu caeth
ar ei lin i'r olyniaeth.

Y grefft hon anwylon ni
a hon fu'n gyfrwng inni.
A ninnau o'r un anian
yn ymhél â'r geiriau mân.
Ni ddaw y dydd, O Dduw Dad,
y rhegaf werthfawrogiad.
Un a gerddodd ag urddas
yn driw i'w deulu a'i dras.
Y gŵr doeth a'i gariad o –
ni chuddiaf ddiolch iddo.

Nid yw dweud yng ngenau dyn,
a rhwd yw pob gair wedyn.
Mae'n wag o bob mynegiant,
yn rhoi ple fel chwarae plant.

Y dyn a wnaeth – dyna oedd,
a chadarn dan faich ydoedd.
O ffroeni clai Dyffryn Clwyd
anwylaf fi fy aelwyd,
a'i gadael yn wag wedyn,
yn glaf am gwmni John Glyn.

Ffrâm

Maen nhw yma o hyd
yn crynhoi fel niwl
cyhuddgar, a'u llygaid
yn edrych drwom
i ddyfnderoedd yr enaid.
A chwiliant am wreichionyn
o gydwybod
yn y rhai a gefnodd
ar y llan. Tra bo
eu hwynebau hwythau
yn pellhau.
A'r sepia llipa llwyd
yn colli ei liw,
a phylu'n raddol
i dragwyddoldeb.

Rhith

Mae Chwefror yn agor a niwl
y bore'n rhyn, y barrug mor styfnig am y wig
a Mawrth rhywle'n bell ar orwel ein byd.
Simneiau dros doeau o darth
yn anadlu plu dros y plwyf,
a'r garthen wen yn haenau.
Siapiau yn y golau gwan, a chymylau'r lluniau llaith
yn barêd o ysbrydion.

Yn y dail o dawelwch o dan droed y goedwig,
pydredd y llynedd yw'r lluniau.
Cerddwn i'r Gwndwn a'r gât yn wich o'n hôl.
Daliwn oerfel yn ein hanadl nerfus;
chwilotwn, a chael eto'r ddraenen wen yn finiog.
Brath ei nodwyddau'n dechrau magu dail
yn wyrdd rhwng muriau'r murddun.

Hafana

Ar don wen mae gen i gwch,
daw â hwyliau'n dawelwch
dan wres mynwes y mynydd.
Ym maeau a thraethau rhydd
y Gymru hon, mae'n llonni
ei glannau â'i hafau hi.
Ar orwel draw mae llaw Llŷn
yn anwastad yn estyn,
i gyfarch Werddon gyfan.
Cynefin y brenin Brân
fel adain yn cofleidio
ysgwyddau hen fryniau'r fro.
Ac o'i dec i'm llygad i
ceir Gwalia, craig ei heli,
yn gaer drech na'r holl gaerau,
caer na wêl ei hiselhau
gan nos dywyll, ddidostur.
Clogwyni fel meini mur,
a daear Penmaen Dewi
yn dŵr i'w heneidiau hi.
Gwarchodfa, noddfa ein hiaith,
cynefin cân ein hafiaith,
lle nad ildiwn i swnian
y môr rhwng y cerrig mân.

A heno cawn hwylio yn ôl
ac ynom nerth gwahanol.
Ni ac Eryri yn gryf,
yn arglwyddi ar gleddyf.
A llyw o wynt yn ein llef
i adrodd y ffordd adref.
Yn ei hwyl mynnwn eilwaith
hawliau mwy na'r gorwel maith.
Â hyder codwn, werin,
gân yr haf ac yn yr hin
y canwn, canwn fel côr,
y ddraig ni orwedd rhagor.

Blodau

(gwrthododd y Llywodraeth fesur Dr Dai Lloyd i ddiogelu enwau lleoedd Cymraeg)

Deifi annwyl, dof heno
atat i blygu eto
lin glân ar geulan o go'.

Yn nyddiau llwyd cloddiau llwm
mae petalau caeau Cwm
y Ddorlan dan ddau hirlwm.

Ar dir trwm ein marw maith,
draenen sydd mor hen â'r iaith
yw draenen ein hestroniaith.

Pa werth yw plygu perthi
yn awr dan raff mieri
i frad oer dy Chwefror di?

Deifi fwyn, rhwng brwyn a brain,
ar ddôl a rhyd, arddel 'rhain;
ein henwau ni ein hunain.

Syched

(yn y No-Sign-Bar ar Stryd y Gwynt, Abertawe)

Rhwng clybiau'r seidar cryf a Jägerbomb
a muriau mawr cownteri'r siop *kebab*,
mae clec *stilletos* stryd yr acen drom
fel hen drawiadau dyn-y-drws tin ab.
A thrwm ac ysgafn ar bob gwefus goch
fel tatŵ'r wennol sydd ar ysgwydd merch
yn dod yn ôl i nyth y trydar croch
a chwilio am gariad y stryd ddi-serch.
Ac yno dan fondo mae bandiau'r byd
yn wylo fel seiren dan olau glas,
ac ymladd yn frwnt â'r nodau i gyd
mae'r Eagles a'r Beatles mewn llinell fas.
Yno'n sŵn drymiau'r anwarineb gwâr
drachtiaf yn hir yn y No-Sign-Bar.

Trwy ddŵr a thân

Mae Hyddgen lond ein pennau – a brwydro
heno'n ein calonnau.
O arf i arf yn cryfhau – ein gilydd;
y cloddiau ufudd yn dal cleddyfau.

Rhes ar res o ddynion rhydd – a'r angerdd
mewn rhengoedd aflonydd;
dialwyr lond y dolydd – yn aros,
yn gwau hwyrnos drwy bicellau'r gwernydd.

Gwelaf ar greigiau heulwen – chwa o wynt
a'i farch ef ar gefnen,
a'r gwaed ar y garreg wen – yn ceulo
a rhydu heno ar lafn rhedynen.

Y 'Mach Loop'

(mae awyrennau'r llu awyr yn ymarfer drwy hedfan yn isel o gwmpas ardal eang a'i chanolbwynt yw Machynlleth)

Pan ddeuai awyrennau'n daran syn
fel rhu byddinoedd drwy'r cymylau brau,
fe ddaliai'r fro ei phlant yn goeled tynn.
Pan oedd taflegrau'n taro'r dyfroedd gwyn
ac annel ffug y ffrwydron yn ymryddhau
y deuai awyrennau'n daran syn.
Ar lawr y cwm roedd llygad glas y bryn
a'r brwyn o'i gwmpas fel petai'n tristáu.
Fe ddaliai'r fro ei phlant yn goeled tynn
fel pe bai'n disgwyl clec o'r bomiau hyn,
ac adlais ar y graig yn ei thrymhau.
Pan ddeuai awyrennau'n daran syn
roedd gwartheg erthyl o dan lwyni ynn
ac adlais ar y llechwedd yn parhau.
Fe ddaliai'r fro ei phlant yn goeled tynn
a'r storom yn taranu'n Nhal-y-llyn.
Roedd hunllefau'n y nos yn amlhau
pan ddeuai awyrennau'n daran syn,
a daliai'r fro ei phlant yn goeled tynn.

Ystafell

Yn neuaddau'r gân eiddil
gwn yn iawn fod gan ein hil
acenion cerddi cynnil.

Heledd yn ymbil gweddi
ddigysur ei heryr hi
a haearnaidd gledd arni.

Yn wylofain dros glwyfau
anorfod gwŷr ag arfau
yno'n ceulo'r llygaid cau.

Cynddylan o wahaniaeth
yw'r un gân hon, gair a'n gwnaeth
yn glawdd i'r hen arglwyddiaeth.

Pa wers wyla'r Mers i mi?
Gwareiddiad gwŷr yw rhoddi
y gwaed hwn rhag ei gwawd hi.

Dychwelyd

(tra oedd Cymru yn cael llwyddiant ym Mhencampwriaeth Bêl-droed Ewrop digwyddodd pleidlais Brecsit)

Ar ôl i'r brwydrau olaf
ryddhau hualau yr haf,
dof yn ôl mewn gorfoledd
i'w choel hi ac awch y wledd.

Ond cyfandir o hiraeth
sydd yno yn troedio traeth.
Branwen y bore unig,
a brad Efnisien yw brig
y don hir sy'n dod yn ôl
ar dwyni anghrediniol.
I'w chalon rwy'n dychwelyd
o'r drin gyda'r fyddin fud.

Cardotyn

(Port Talbot)

Daeth y dur o'i llafur yn lli oesol,
ac fe gawsant ganddi
orau glas ei hurddas hi.
A'i thâl wedyn? Ei thlodi.

Iolo

Torri'n rhydd o'r trywydd bob tro – wna'r mab
ar y maes, a chrwydro
wna'i ymennydd lle mynno,
gyda'i wg Morganwg o.

Arglwyddes Llanofer

Llacia staes y maes i mi – tyn yr het,
yna rho'r siôl ati;
a thrannoeth dy ddinoethi,
dawnsia'n wyllt drwy'n dinas ni.

Waldo

Uwch y rhos a chaeau'r ŷd
mae hebog dros dir mebyd.
A Foel Drigarn fel dreigiau
nos o haf sydd yn nesáu.
Yn y golau mae'r gelain
yn waed ar hyd cloddiau'r drain
yn nhrwst Awst, a chawn dristáu
heb weddi uwchben beddau.
A gwau drwy'r cymylau mud
wna'i eiriau gan ymyrryd
ynom oll, a'n pigo mwy;
yn wifren o Garn Gyfrwy.

Ond gwŷr ei fyd egyr fedd
i waelod pridd ymgeledd
a chladdu, claddu mewn clod
wynebau eu cydwybod.
A hen waed y machludo'n
dal i ladd ei genedl o,
nos o haf ddaw'n ddisyfyd
â'i gân yn fyw; gwyn ei fyd.

Delyth

Dy wên sydd yn aileni – y dyheu,
    rwy'n daer am dy gwmni.
  Tros oriau rwy'n trysori
  nos a dydd dy einioes di.

Cwlwm Celtaidd

Megis yng nghanol dolen – a luniwyd
    o linyn diorffen,
  yr un llais â chewri'n llên
  yw'r rhai ieuanc â'r awen.

Gareth Bale

Wn i ddim be' greodd o – ond mi wn,
dyma ŵr all danio
eiliadau aur caeau'r co'
â hyder ei dorpido.

Ffynnon

Y ffynnon hon sy'n cronni'n gemegion,
ac mae mwg yn drewi
yn ei gwaelod, yn codi
o'r hyn oll a grëwn ni.

Afon

Yn ei gwanwyn bachgennaidd
yr oedd haul ar ruddiau haidd.
A'i lleuad fel lliw siwin
a'i chloddiau fel gwydrau gwin
yn llawn, a'r gweiriau llonydd
hyd bengliniau caeau cudd.

Ond gwn nerth ei hanterth hi
a'r ias o orfod croesi
y rhyd, a'r dŵr yn rhedeg
i'r gwyll fel geiriau o geg.
A gwn mor drist a distaw
ydyw'r waun ar yr ochr draw.

Drych

Ar lan Llyn y Fan Fach
yn syn y saif
ar goll yn nhonnau'r gwyll ym mynwes y mynydd,
a'i unigrwydd yn ddagrau.
Adlewyrchiad yn dal erchwyn
y llun ar wyneb llaes y dŵr a'i ddyfnder du.
Ar ochr rychiog bryniau ei gyndadau, daw'n
aflonydd fel enwau, olau i'w anwylo.
Yn ddiferion fe ddaw y forwyn
ato a'i chusan yn ateb.
Ni all lai na'i chymell hi yn nes
yn dduwies i'w addewid,
eilun anwylaf, hudol y llyn,
a dal ei llaw.

A chyfoeth uwch ei hafon, gleiniau ei galennig
a gafodd fel yr addawodd hi.
Hwythau a fagodd yn wynebau eu meibion
a'u merched drwch ryw harddwch fel y ddaear ei hun.
Yntau, dan y golau gwyn yn nyddiau brwyn,
cynyddodd ei braidd;
a dal, ym mynyddoedd ei dylwyth,
werth y ddaear a rhith y dduwies.
Tyfodd ei lwybrau drwy'r caeau a'r coed,
a'i dail ynn fel dolenni
yn dal diferion aflonydd ar derfyn dibyn y dydd.

Llifodd i'r caeau llafur winoedd y clogwyni,
a golau oedd ar gaeau gwair a dynion yn ei godi yno.
Roedd y dydd mor llonydd â'r llyn.

Ond ofer yw dyn yn ei dyfiant. Ei awch o hyd a dry'n
chwant am fwy a mwy ac yn nhir y mawn,
yno daeth yn wenwyn
i gronni ym mhridd ei garennydd.
Mae tanau'r llosgi gwyllt lond y coedwigoedd,
y mwg yn mogi, yn dod â'i ofn yn llygad y dydd.
Yn y tir, pentyrru wna'r eigion o blastigion hanes dyn.
Mae tonnau am y tŷ heno
a dŵr wrth y dorau;
llif mawr yn llyfu muriau.

Nos ddiaros sy'n closio
at y tân cyn i'r tanwydd
o'r golfen orffen a'i naws
yw'r unig wres i'w gynhesu.
Sylla o hyd â blas llosg
yn ei ffroen ffwr-â-hi, a'i gwsg yn gwasgu.

Y dduwies a'i haddewid yn awr sy'n suro
ar gwr y gwyll, a'r machlud sy'n ei chludo
hi yn ôl i'r llyn oer.

Er iddo ei dilyn a'i dilyn drwy'r dydd
a galw ei henw aflonydd,
anos o hyd yw nesáu.
Fel ei henw diflannodd i'r dŵr a dal
erchwyn yr adlewyrchiad.
Ar y creigiau mae rhychau yr ychain;
olion hirion yr erydr
a wyneb y llyn yn bellennig.

Rali annibyniaeth

(ar ôl treulio gwyliau yn Nhyddewi ar y ffordd i rali Yes Cymru ym Merthyr Tudful)

Pan fydd cymylau duon dros Borth Mawr
ac Ynys Dewi a'i phen yn ei phlu,
bydd amser hir i aros tan y wawr
wrth wrando ar y gwynt yn chwipio'r tŷ.
Mentraf ma's o gysgod y trawstiau clyd;
af i wynebu llid y storom sydd
yn ei chynddaredd yn difrodi'r byd,
gan rwygo'r cychod o'u gwelyau cudd.
Tra erys lliwiau grug Carn Llidi'n llwyd
a'r graig fel ci'n sgyrnygu ar y lle,
ambell belydr trwy'r carthenni a gwyd
yn heriol fel baner draw tua'r de.
Daw haid o adar gan ganu i'r dydd
dan olau y wawr a'n gadael yn rhydd.

Agoriad

(*Yes Cymru*)

Yng nghilfachau caeau'r co',
a'r brwydrau'n haenau yno.
Yn y brwyn, mannau bryniog,
llwyni ynn; pob Llyn na-nÓg.
Rhwng cloriau'r llyfrau a'u llwch,
hyd y waliau'n dawelwch.

Mae trysor sy'n rhagori;
Croes Naid yn ein henaid ni.
Awn, mentrwn, chwiliwn a chael
rywfodd y dur i'w afael,
ac agor cist yn ddistaw
â hyder llwyr yng nghledr llaw.

Pontydd 2020

O dan y geulan a'i gwŷdd
y mae enwau'n y mynydd
yn galw dau drwy dreigl dydd
i'r llun yn y dŵr llonydd.
Yng ngwanwyn dy wanwynau,
bore oes ni all barhau
yn nhir cibddall ysgallen
na'i nos hir ar ynys wen.
Melyna'r ugain mlynedd
bapurau'r geiriau; mae gwedd
hŷn arnom a llwyn gwernydd
ar waun lle rhedaist yn rhydd.
Yn nŵr llwyd ceulannau'r llyn
aeth traed drwy waed y rhedyn.
Sawl Ebrill fesul wybren
aeth o'n byd; daeth hyn i ben;
un ennyd o dan wennol
y bluen wen hafau'n ôl.

Est tithau ar deithiau, do,
o raeadrau ein crwydro.
Os tyfaist â llais Teifi'n
yr awel, mae d'orwel di'n
y dref sydd tu draw i'r wig
yn llawn dynion Llundeinig!

Aeth pluen y bachgen bach
yn bluen wen amgenach.
Genyn yn dilyn y dydd
yn driw i ryw hen drywydd.

Ar dy rawd ar ddwydroed rydd
â hyder yr ehedydd,
her a menter ydyw'r maeth
ynot; wyt lawn olyniaeth
gyhyrog. Dy fagwraeth
yw llên y pyllau llonydd
sy'n dy ddilyn derfyn dydd.

Â phob cenhedlaeth mae'r cenedlaethau
yn gân o wanwyn; mae'r bont genynnau
dros lif a droes yn afon yr oesau.
Yn y dŵr pell yn nyfnder y pyllau
fe welaf bluen yr hafau'n troelli'n
y goleuni o dan hen geulannau.